Shopkins
2
devinettes

Publié par **Presses Aventure**, une division de
Les Publications Modus Vivendi inc.
55, rue Jean-Talon Ouest
Montréal (Québec) H2R 2W8
CANADA

www.groupemodus.com

Éditeur : Marc G. Alain
Responsable de collection : Marie-Eve Labelle
Rédactrice : Catherine LeBlanc-Fredette
Designer graphique : Catherine Houle
Correctrice : Flavie Léger-Roy

ISBN 978-2-89751-039-8

Dépôt légal — Bibliothèque et Archives nationales du Québec, 2015
Dépôt légal — Bibliothèque et Archives Canada, 2015

Nous reconnaissons l'aide financière du gouvernement du Canada par l'entremise du Fonds du livre du Canada pour nos activités d'édition.

Gouvernement du Québec — Programme de crédit d'impôt pour l'édition de livres — Gestion SODEC

Imprimé au Canada

Tous les Shopkins de la série 2 se sont passé le mot pour te faire rire ! Dans la boulangerie, on te racontera des blagues un peu givrées, chez les fruits et légumes, des vertes et des pas mûres, et chez les ustensiles, des histoires branchées. Les produits d'entretien ne ménageront pas leurs efforts pour créer des charades originales, et tu joueras aux devinettes avec les produits pour bébé. Les chaussures te feront gentiment marcher avec leurs plaisanteries et tu apprendras la base du jeu de mots avec les produits d'épicerie !

FRUITS ET LÉGUMES

Ils sont craquants,
ils sont CHOU et ils ont
de grands cœurs ! Avec les fruits
et les légumes, tu en entendras
des vertes et des pas mûres,
mais jamais tu ne te feras
raconter de SALADES !

Que dit-on d'un Shopkins qui se perd dans le **RAYON** des fruits et légumes ?

Réponse : Qu'il est dans les patates !

Pourquoi Basketa,
la CHAUSSURE de
sport, est-elle si heureuse au
supermarché des Shopkins ?
Réponse :
Parce qu'elle peut faire
des courses toute
la journée !

Combien d'amis **DONUTY** a-t-elle ?

Réponse :
Onze. Ils forment une belle douzaine !

USTENSILES DE CUISINE

Il n'y a pas de doute,
Grillette, Lampa, Mixtou
et les autres ustensiles
de cuisine sont bien les plus
BRANCHÉS des Shopkins !
Tu vas voir, le **COURANT**
va passer entre vous.

Quel est le comble
pour Roulota ?
Réponse :
Être au bout
du rouleau !

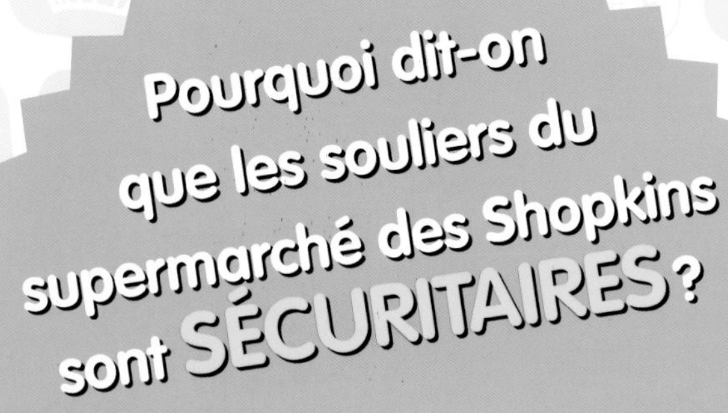

Pourquoi dit-on
que les souliers du
supermarché des Shopkins
sont **SÉCURITAIRES** ?

Réponse :
Parce que ce sont des
choses sûres (chaussures)

Qui suis-je ?

Écoutez attentivement et
vous m'entendrez à la fin de l'été.

Dans tous les pays du monde,
on m'invite à table, car l'on me sait cultivé.

Ma science infuse vous en fait boire
de toutes les couleurs : noir, rouge,
vert ou encore blanc.

Si vous m'écoutez à la lettre,
vous me trouverez au vingtième rang.

Qui suis-je ?

Qu'a dit Popcorni pour
convaincre Maissy d'aller
S'AMUSER dans le rayon
des produits de la fête ?
Réponse :
« Allez, viens, tu vas
t'éclater ! »

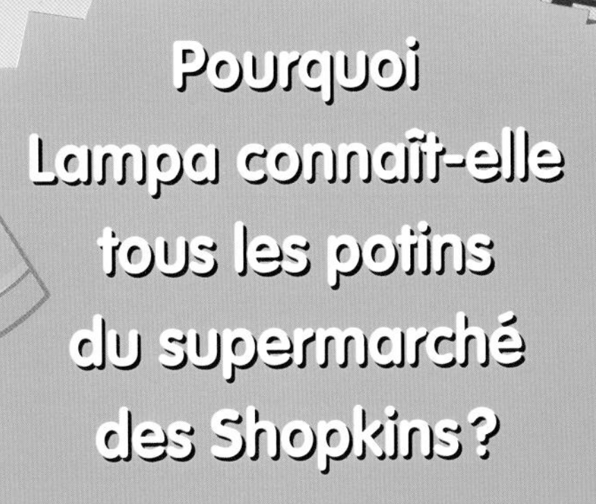

Pourquoi
Lampa connaît-elle
tous les potins
du supermarché
des Shopkins ?

Réponse :
Parce qu'elle est toujours
au courant de tout !

Quel est le comble
pour Baguetta,
la baguette de pain ?

Réponse :
Se faire prendre pour
une baguette
de magicien !

Quelle est
la PÂTISSERIE
la plus populaire
dans le désert?

Réponse :
Les biscuits sablés !

BOULANGERIE

Tout le monde s'entend : ce qui rend les Shopkins de la boulangerie aussi **DÉLICIEUX**, c'est leur petit côté givré ! Sans eux, la vie ne serait pas du gâteau.

Qu'ont en commun
BAGUETTA et
SCARPINA ?
Réponse :
Les deux n'ont pas peur
des hauteurs !

Comment est le **GRAND-PÈRE** de Cupcake ?

Réponse :
C'est un véritable grand-papa gâteau !

MON PREMIER est un bijou que l'on porte au doigt.

MON DEUXIÈME sert à lier deux mots.

MON TROISIÈME est une petite montagne de choses accumulées.

MON TOUT est un Shopkins de la boulangerie.

Réponse :
Baguetta
(bague – et – tas)

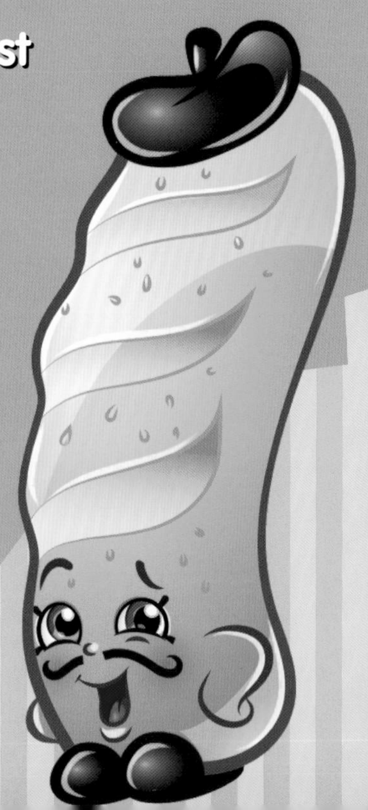

Quelle est
la devise favorite
de **GRILLETTE**,
le grille-pain ?

Réponse :
Un pour toast
et toast pour un !

Pourquoi Spaguetta
s'amuse autant dans
le rayon où se trouvent
les pâtisseries ?

Réponse :
Parce que les pâtes
ici rient
(les pâtisseries) !

PRODUITS D'ENTRETIEN

Tu te ménages quand
tu fais ton **MÉNAGE** ?
Faire la lessive te lessive ?
Allons donc ! Serpy, Vitrounette
et Roulota te le diront : des ordres
donnés aux enfants désordonnés
qui doivent ordonner leur
DÉSORDRE ne seront plus
ordonnés si tout est
déjà en ordre !

TOC TOC TOC !
Qui est là ?
Guy.
Guy qui ?
Guimauve !

Délie-toi la langue en essayant de prononcer la phrase suivante le plus vite possible sans te tromper !

Basketa la chaussure de sport n'est pas SOTTE, quand elle joue sans méchanceté à cache-cache et pourchasse ses complices Shopkins, elle sait que Serpy la serpillière ne doit pas sursauter, car, sachez-le sous le SCEAU du secret, un SAUT renverserait son SEAU, ce qui serait vachement long à sécher.

MON PREMIER coule dans les rivières et remplit les océans.

MON DEUXIÈME est ce que te disent tes parents quand tu dois faire le ménage de ta chambre.

MON TROISIÈME est ce que tu fais quand tu mets quelque chose à la poubelle.

MON TOUT est un Shopkins adorable !

Réponse :
Orangette
(eau – range – jette)

CHAUSSURES

Que de personnalités différentes dans ce rayon ! **PANTOUFLETTE** se lève toujours du bon pied, **BASKETA** aime faire marcher ses amis en leur racontant des blagues et **SCARPINA** épate la galerie avec ses idées de grandeur.

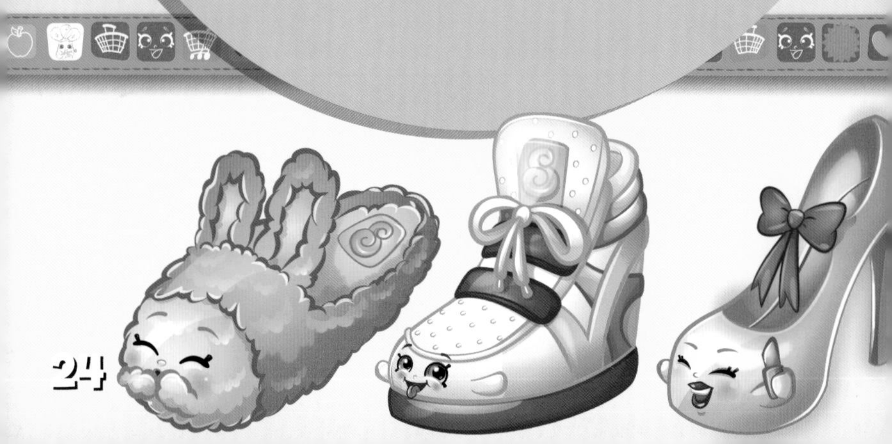

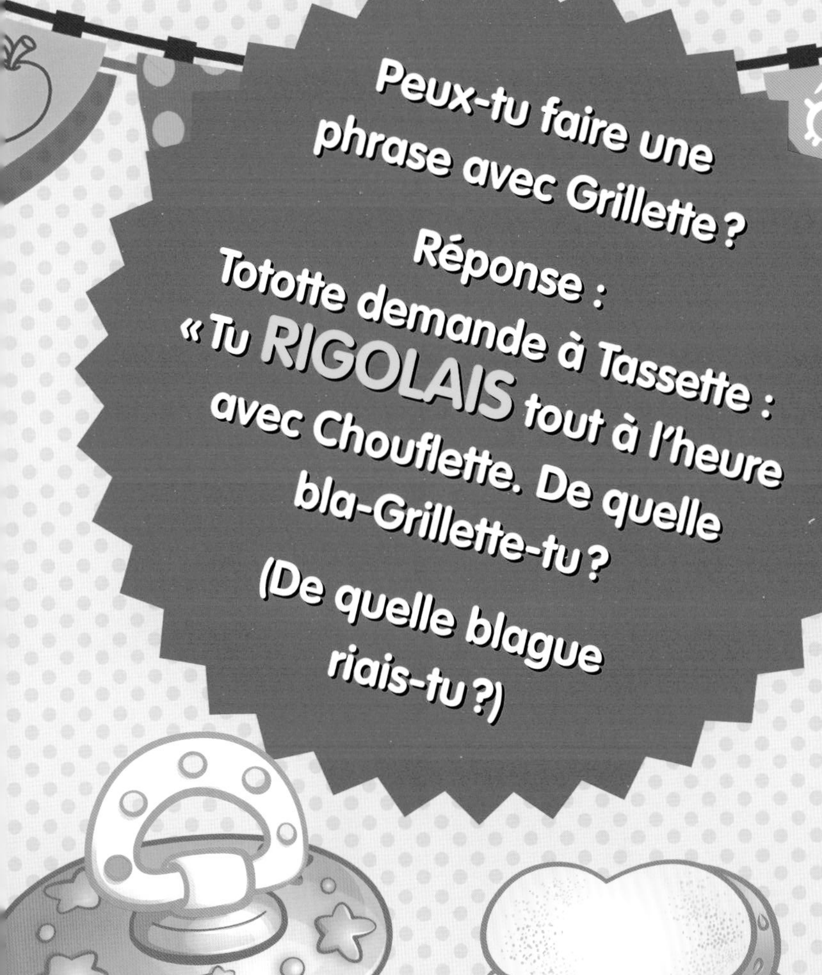

Peux-tu faire une phrase avec Grillette ?

Réponse :
Tototte demande à Tassette :
« Tu **RIGOLAIS** tout à l'heure avec Chouflette. De quelle bla-Grillette-tu ?

(De quelle blague riais-tu ?)

Quelle est
la pâte alimentaire
la plus **DRÔLE** ?

Réponse :
Ravioli, car elle a toujours
une farce dans la tête !

Pourquoi Scarpina est-elle toujours si bien habillée ?

Réponse :
Parce qu'elle se fait elle-même ses vêtements avec ses talons aiguilles !

CONFISERIE

La confiserie !
Là où vivent les Shopkins
des occasions SPÉCIALES...
Popcorni pour les soirées cinéma,
Givrette pour les SORTIES
estivales et Gauffry pour
les matins en famille !

Comment conjugue-t-on «beigne» à l'imparfait de l'indicatif?

Réponse : «Beignet»

MON PREMIER

Basketa discute avec Farinette.
« Farinette, à quoi ---- la farine ? » demande-t-elle.
« La farine ---- à faire du des---- ! » répond-elle.

MON DEUXIÈME

Tototte demande à Biby :
« D'où vient le lait ? »
« Le lait vient des vaches.
Il faut les traire en tirant sur leurs ---. »

MON TROISIÈME

Maissy et Popcorni,
sur le tapis roulant de
la caisse enregistreuse,
se remémorent des souvenirs.

« Popcorni, te rappelles-tu l'époque
où tu n'étais pas encore éclatée ? »

« Je m'en souviens comme
si c'était ____ ! »

MON TOUT

Oh non ! Mixtou a oublié
de remettre son couvercle
et a fait tout un dégât ! Vite,
va chercher la ___________ !

Réponse :
Serpillière
(sert – pis – hier)

PRODUITS POUR BÉBÉ

Tout le monde
est complètement gaga de ces
adorables nourrissons ! Chez les fruits
et les légumes, on les appelle les bouts
de chou et on dit que ces Shopkins pas
plus hauts que trois pommes sont toujours
très trognons. Ils font courir les
chaussures et, chez les ustensiles,
Mixtou passe son temps à leur
faire des purées !

Pourquoi **MAISSY**,
l'épi de maïs, aime tant
regarder des séries télévisées ?

Réponse :
Parce que Maissy aime
écouter des épi-sodes

Basketa et Serpy vont voir un film. « Que ferons-nous après être allées au **CINÉMA** ? » demande Serpy.

« Nous irons au sept-néma ! » s'exclame **BASKETA**.

(Six-néma, sept-néma)

Farinette et Maissy
revêtent très bien le VERT,
mais que dire de Pommette
qui porte à merveille
le VERT et
le VER de terre !

PRODUITS D'ÉPICERIE

Ah, les ESSENTIELS et polyvalents produits d'épicerie ! Leurs blagues sont à leur image : des classiques qui ne se démodent pas et, bien que l'on puisse les trouver parfois un peu rudimentaires, si on les connaît bien, on peut les utiliser à toutes les sauces !

Quel est le contraire d'une épicerie ?
Réponse :
Une épice-pleure !

MON PREMIER est un mot anglais signifiant « tasse ».

MON SECOND est un prénom féminin.

MON TOUT est un Shopkins élégant et sucré !

Réponse :
Cupcake (cup – Kate)

Quel est
le contraire
d'un BIBERON ?
Réponse :
Un bib-carré !

ÉDITION LIMITÉE

Quelle bande inusitée
que les Shopkins de l'édition
limitée ! Un CITRON, un gant
de vaisselle... même une BOTTINE !
On ne les voit pas souvent,
alors va vite leur dire bonjour
avant qu'ils ne s'envolent comme
des petits pains chauds !

Pourquoi
une belle GAUFRE
carrée comme Gauffry
ne peut-elle pas être préparée
par un MOULE à gaufres
qui a le rhume ?

Réponse :
Parce que quand il a le «rhube»,
le moule se transforme
en «boule»

UNE GARDIENNE ÉPUISÉE

Pommette, Fraisy et Grillette s'amusent avec Tototte dans l'allée. Fraisy donne tout ce qu'elle a pour faire rire la petite sucette mignonne à croquer... mais rien à faire ! Tototte ne rigole pas du tout.

Les amies ont alors l'idée d'aller chercher des accessoires amusants dans le supermarché.

« Grillette, peux-tu surveiller Tototte quelques instants ? » demande Fraisy à son amie.

« Aucun souci, s'exclame Grillette ! Cela n'est certainement pas plus difficile que de griller du pain sans gluten ! »

Profitant de ces quelques secondes d'inattention, Tototte décide d'aller explorer son environnement, créant aussitôt la zizanie.

« Nom d'un p'tit muffin calciné ! Les portes automatiques ne sont pas un endroit pour jouer ! Si tu restes ici trop longtemps, elles vont se... »

Bang ! La porte se referme sur la tête de Grillette.

« ... refermer. »

« Ouch, se plaint-elle, ouille... oh... NON !
Comment as-tu pu te retrouver dans les airs
accrochée à la banderole ?! » s'exclame-t-elle,
voyant Tototte en plus grand péril encore.

C'est alors que Grillette, qui n'a pas froid
aux yeux, s'élance, rebondit sur un sac et,
en un saut spectaculaire, se pose sur la bannière.
Celle-ci, sous le poids de la gardienne, se baisse
tranquillement, permettant à Grillette de déposer
délicatement Tototte sur le tapis de la caisse.

« Ouf, j'ai eu chaud ! » a-t-elle le temps de s'exclamer, heureuse que ses amies ne soient pas là pour observer ses péripéties, avant que la banderole ne cède sous son poids !

Crac ! Grillette tombe droit sur un sac de farine et se relève couverte de farine !

Décidément, heureusement qu'aucun autre Shopkins n'était en vue ! C'en aurait été fini de la carrière de gardienne de Grillette.

« Ne bouge plus d'une miette de pain, Tototte ! » s'enflamme Grillette, furieuse.

Le sourire de Tototte s'efface alors de son visage. Ses petites lèvres se mettent à trembler et une fontaine de larmes jaillit des yeux du nourrisson ébranlé.

« Oh non, ne pleure pas ! » ajoute Grillette d'un ton plus doux.

Trop tard. En un geste de colère, Tototte lance son hochet tellement fort sur le bouton de Grillette que cette dernière en perd ses toasts !

C'est alors que Tototte, surprise par le vol plané des tranches de pain, éclate de rire au moment où Pommette et Fraisy reviennent de leurs courses.

« Wow ! Je ne l'ai jamais vue rire autant ! Il faut absolument que tu la gardes plus souvent ! » s'enthousiasme Pommette.

Grillette, n'ayant aucune envie de recommencer, marmonne : « Baguette multigrain que je suis brûlée ! », puis tombe dans les pommes.

« Est-ce que j'ai dit quelque chose qu'il ne fallait pas ? » s'interroge Pommette.

C'EST LA FAIM !
EUH, NON... LA FIN !

Shopkins
Des courses de folie !
Sparkle